ZEP

titeuf

la méga classe !

Adaptation : Shirley Anguerrand

HACHETTE

1

Les copains attendaient tous en file indienne devant la porte de la remise du concierge.

J'avais l'habitude que François ou Jean-Claude attendent des heures pour des trucs débiles. François, une fois, il a accompagné son père à un salon du livre de poésie ou je sais pas quoi (mais en tout cas, c'était un truc pas drôle) et il avait fait deux heures de queue pour avoir une signature toute pourrite sur son livre de poèmes tout pourri.

Mais Marco, lui, il aime pô attendre pour des prunes. Donc ça voulait dire qu'il y avait un truc qui valait le coup derrière la porte.

Un truc comme ça, forcément, c'est pas tous les jours que ça arrive et je voulais aussi vachement voir.

Mais Jean-Claude a commencé à cracher en spray que c'était pô gratuit, que ça valait « un pin'f ». Un pin'f, ça veut rien dire, sauf si on sait traduire le Jean-Claude...

J'ai fait mes poches et j'ai trouvé un super beau pin's des céréales Kiddog's. Quand ça a été mon tour, je suis entré et Martine m'a tendu la main parce qu'elle voulait qu'on paie à l'avance. Et puis elle a soulevé d'un coup son pull en disant « et hop ! » comme si c'était de la magie...

Elle a pô trop aimé que j'ai pas dit un compliment et elle a commencé à se fâcher rouge. C'est quand j'ai voulu récupérer mon pin's qu'elle a explosé. Y'a des filles, c'est rien que des malhonnêtes !

2

Je sais pas ce qu'ils ont tous à faire des complots, mais cette fois encore, François (il est toujours dans les plans nuls celui-là !) et Manu avaient suivi ce débile d'Hugo dans le trou du mur. Ça m'énerve, d'abord parce que le trou du mur c'est fait pour les réunions secrètes mais aussi parce que, une fois de plus, c'est moi qu'on avait pô prévenu du complot. Mais bon. Le plus urgent, c'était de savoir ce qu'ils étaient en train de faire. Alors j'ai demandé. Et Hugo m'a répondu avec ses airs de gros supérieur qu'ils fumaient un pétard piqué à son frère.

Hugo a dit que son frère, le schmitt, ça le rendait vachement cool. Et être cool, ça avait l'air hyper cool... Et puis Hugo a aspiré sur le pétard. Il a avalé la fumée qui pue des pieds et il a dit qu'il se sentait hyper cool et qu'il voyait des femmes à poil. C'est pour ça que j'ai voulu essayer.

Y'avait de la fumée partout et je voyais vraiment plus rien. J'ai cherché à la pousser pour voir si les filles à poil se cachaient dedans. Ça commençait à vraiment puer très fort des pieds et à piquer très fort des yeux. Et puis la fumée a changé de forme...

Le monstre avait l'air pas commode et j'ai commencé à avoir une sacrée trouille.

Quand la fumée a un peu disparu, j'ai vu que le monstre que j'avais devant moi était effectivement pas commode et qu'il existait pour de vrai.
Pô de bol.

3

Quand je fais des cauche-
mars la nuit, ça me fiche tellement la trouille que je vais dans
la chambre des parents pour pô
être tout seul. Alors papa et
maman me disent que les cauchemars, on en fait beaucoup
quand on est petit et qu'après

c'est de plus en plus rare et surtout, que quand on grandit, on s'y habitue et on a moins peur. Moi je sais qu'ils disent ça rien que pour me faire retourner dans ma chambre pour leur ficher la paix : je vois pas comment on pourrait s'habituer au cauchemar de la maîtresse qui t'appelle au tableau et aux autres cauchemars encore pires...

J'ai même déjà rêvé que je devais manger des épinards et à chaque fois que je disais « Non, pas des épinards ! » l'assiette devenait de plus en plus grosse et finalement ça se transformait en mer d'épinards et, pour pas me noyer dedans, le seul moyen c'était de tout manger.

Des fois je rêve même qu'on me torture avec des ciseaux...

Ça m'est carrément arrivé de vomir pendant que je dormais, parce que je rêvais que la grand-tata Marcelle de mon papa m'avait forcé à manger des camions et des camions de petits pains fourrés aux anchois.

C'est quand même pas croyab' qu'un tout simple rêve ait le droit de devenir un film d'horreur !

On devrait pouvoir choisir tous les soirs de quoi on a envie de rêver, parce qu'il y a des moments, ça devient trop dur. Mais les pires des cauchemars, c'est ceux qu'on fait quand on est réveillé.

4

Les parents adorent regarder la télé pendant qu'on mange. Moi aussi j'adore ça. Sauf que papa et maman veulent toujours mettre le journal alors que moi, je préfèrerais vraiment voir les aventures de Captain Biceps. Mais c'est comme ça, il paraît : c'est eux qui décident.

Au journal, ils parlent beaucoup des hommes politiques. C'est comme ça que j'ai appris que les politiques utilisent toujours la langue de bois.

J'ai trouvé ça hyper dingue : ça doit être drôlement dur de parler avec une bûche à la place de la langue. C'est sûrement pour ça que papa râle souvent qu'on comprend rien à ce qu'ils disent, les hommes politiques. Pour en savoir un peu plus j'ai demandé au concierge.

Il est sympa des fois le concierge parce qu'il veut bien discuter avec nous des trucs de la vie qu'on a pas compris.

Souvent, ça le fait rire, nos questions, mais il répond toujours. Il m'a donné des détails sur la langue de bois.

Quand je suis entré en classe, la maîtresse a commencé la journée en rendant nos devoirs sur l'histoire de notre pays.

Moi, j'avais tout raté mon devoir et la maîtresse a dit que c'était pas avec ces mauvaises notes que je deviendrai président...

5

C'était vraiment un type hyper large, hyper musclé qu'avait l'air drôlement fort.

Moi, j'ai dit qu'il devait sûrement être capable de soulever des camions. François a dit : « Même plusieurs camions à la fois », et Manu a soufflé comme quand quelqu'un dit n'importe quoi. On a d'abord pensé que Manu faisait un peu de la jalousie. C'est vrai que, question muscles, Manu, il est plus proche du flan vanille que du type du plongeoir...

Là, Manu, il avait marqué un point. On savait pô trop où il voulait en venir avec ses histoires de gonflette, mais ce qui est sûr, c'est qu'on lui a posé des questions pour en savoir un peu plus sur l'espèce de Musclor-man de la piscine.

Manu nous a expliqué que Musclor-man et tous les types de son espèce passaient des heures dans des salles d'entraînement où on fait du sport, mais eux, ils faisaient pas de sport : ils utilisaient des machines qui vous gonflent les muscles du corps.

Ça, pour une nouvelle, c'était vraiment pô croyab' !
Et le plus incroyab' dans tout ça, c'était que même Hugo, il était pas au courant du terrible secret du gros enflé.

6

Dans la vitrine du bijoutier, y'avait tout un tas de colliers et de boucles d'oreilles avec des perles de toutes les couleurs. On aurait dit un trésor de pirate mais bien rangé en ordre par ma mémé. Manu m'a dit que certaines perles venaient de la mer et d'autres, c'était des perles de culture. Je voyais pô trop comment ça pouvait être, un champ de perles, mais en tout cas, celles de la vitrine faisaient vachement d'effet... sur une fille, je veux dire... Moi, pour Nadia, je cherchais une bague.

Comme Manu voulait pas me croire que la bague était en diamant, on est entrés dans la boutique et j'ai demandé au vendeur. C'était un type pô du tout marrant ni gentil ni rien, juste avec une tête de naze. Il a dit que c'était du diamant et même du trente-quatre carats.

On avait trente balles à nous deux. J'ai dit au monsieur pas sympa que j'amènerai les quatre qui manquent demain, mais il nous a crié dessus comme à des crottes de moineau et il a voulu nous jeter dehors. Je lui ai dit qu'il avait pô le droit de s'opposer à notre amour et d'autres trucs pour me défendre...

Le type l'a mal pris, il a encore dit des « Ah, vraiment !? » et des « C'est ce qu'on va voir ! » en nous ramenant de force jusqu'à la sortie. Je me suis dit qu'il aurait bientôt de nos nouvelles, mais c'est lui qui en a donné en premier...

7

Quand on se balade avec
Manu, ce que je préfère, c'est
qu'on peut se poser toutes les
questions qu'on veut sans avoir
la honte devant les autres.

Manu, c'est un vrai copain
parce qu'il se fout pas de ma
tronche quand je sais pas

quelque chose. Pas comme ce gros frimeur d'Hugo qui sait soi-disant toujours tout et qui se moque devant les autres quand nous on sait pas.

Là, en voyant passer la dame, il m'est venu une question super importante sur la vie, alors j'ai demandé à Manu pourquoi les nanas qui attendent un bébé, elles ont un ventre énorme...

J'ai dit que l'air ça prenait pas beaucoup de place, alors Manu a dit qu'il fallait aussi la place pour mettre la poussette et que c'est pour ça qu'elle est pliable. Moi, j'imaginais la poussette pliée dedans et je trouvais que ça devait faire hyper mal, mais Manu avait l'air méga renseigné sur le sujet.

Des fois, il est drôlement fort,
Manu ! J'ai quand même réussi
à le piéger : moi, je savais que
le hochet qu'on fixe sur la poussette, on l'achetait qu'après parce que j'en avais acheté un avec
ma mère pour offrir à un bébé
d'une cousine. Manu, lui, il
savait pô. Alors on est allés voir
une dame avec un bébé pour
être sûrs.

La dame a réagi comme si on lui avait dit des gros mots et des insultes interdites ou comme si on lui rappelait un super mauvais souvenir...

8

Les sorties qu'on fait avec
la classe, c'est des trucs choisis
par la maîtresse : pas la peine
de préciser que, dans sa liste,
y'a pas Disneyland et qu'elle
choisit dans le catalogue du
gros ringard... C'est comme ça
qu'on s'est retrouvés (encore)

dans un musée pour vieux. Dans la vieille salle avec les vieilles statues grecques, la maîtresse nous a dit à quels dieux de la mythologie ils correspondaient (normal qu'elle le sache, elle est de la même époque). Elle nous donnait leurs noms, mais elle avait pô l'air d'avoir remarqué le seul truc marrant.

Manu trouvait ça normal qu'ils aient pas de zizi, il disait que les dieux s'en foutaient, qu'ils avaient pas besoin de zizi. Je lui ai demandé pourquoi ils en avaient pas besoin alors que ça sert à tout le monde qu'est pô une fille, il a répondu : « Parce que c'est des dieux. » On a continué la visite, et c'était bien plus drôle qu'au début.

Toutes les statues des pôv'
dieux qui avaient rien de rigo-
lo, tout à coup, c'était devenu
un peu comme des potes. On
s'est vraiment bidonnés avec
Manu, jusqu'à ce que l'autre
antiquité débarque et me crie
dessus qu'on avait pas le droit
de faire de bruit dans un
musée et qu'elle l'avait déjà
dit et répété.

Elle était dans un état des nerfs vraiment pô calme et moi j'étais drôlement furieux parce que, d'accord, on s'était moqué des statues, mais j'aurais pas pensé que les dieux, ça se venge pour si peu de choses !

9

Maman était rentrée du week-end avec Zizie par le train et moi, je revenais en voiture avec papa. Apparemment les bouchons sur la route avaient pô plu à papa et il était d'une humeur comme quand il est pressé de rentrer mais qu'à son avis ça arrive pas assez vite.

J'avais vraiment très beaucoup envie de faire pipi, et papa comprenait pô du tout. Il arrêtait pas de me dire de me retenir encore un peu et puis aussi de penser à autre chose. J'aurais voulu l'y voir de penser à autre chose quand on a le cerveau qui baigne dans le pipi !

Quand même, au bout d'un moment, papa a soufflé fort par le nez, il a dit : « Bon, d'accord, mais fais vite ! » et il s'est arrêté sur le bord de la route pour me laisser sortir. Je me suis mis devant le buisson, mais comme y'avait rien qui sortait, papa a demandé ce que j'attendais.

Papa a grogné comme quand il me couche le soir et que je sors de mon lit pour la dixième fois avec une excuse pô terrible et il a dit que j'avais qu'à entrer dans les buissons pour me cacher. Mais moi, j'avais peur parce que, dans les buissons, il peut y avoir des loups...

J'étais tranquillement en train de faire pipi quand on a entendu un CLAC ! qui ressemblait vachement à une portière de voiture... et puis le moteur a démarré et le voleur est parti avec la voiture de papa.

10

LE VÉLO
DU COUSIN
THIERRY

TIKTIKTIKTIKTIKTIKTIKTIKTIK

Quand le cousin Thierry a reçu son nouveau vélo, j'étais épaté. C'était en vacances l'année dernière. Son vélo avait l'air super grand et je me demandais comment Thierry pourrait monter sur la selle tout là-haut. Mais il y est arrivé presque tout de suite et j'ai trouvé ça géant.

Cette année, comme il était plus très neuf, Thierry a bien voulu me le prêter. Le vélo était encore un peu trop grand pour moi. Mais j'avais envie d'en faire et, de toute façon, j'avais pas le choix : y'en avait pô d'autre. J'ai trouvé un moyen d'arriver jusqu'à la selle pour m'asseoir

dessus. Après, ce serait facile...
D'abord, je tenais super bien
sur le vélo. Même sans rouler.
Et c'est ça qui m'a paru louche.
Alors j'ai regardé et j'ai compris : le vélo était encore appuyé
contre la borne en béton.

D'un côté, j'ai appuyé sur la
pédale et, de l'autre pied, je me
suis poussé de la borne. Et hop !
C'était parti ! Pô tout droit,

mais parti quand même...

Apprendre à faire du vélo, c'est pas si simple. Mais apprendre à faire du vélo trop grand, c'est carrément l'épreuve de compétition. J'ai roulé en zigzag pendant pas longtemps : en fait, à chaque fois que j'allais tomber, je tournais d'un coup le guidon de l'autre côté pour redresser. Mais y'a toujours un moment où on sent que ça va plus mar-

cher. Alors là, je l'ai bien senti...
Le frère d'Hugo, il dit que si on
fait une expérience, c'est pour
apprendre quelque chose. Moi,
mon expérience avec le vélo de
Thierry me disait de pô aban-
donner, que j'allais sûrement

11

Ramon, il se fait souvent avoir parce qu'il comprend pas tout ce qu'on dit : y'a tellement de mots de français qu'il connaît pô que c'est presque trop facile de lui faire faire n'importe quoi. Alors Ramon amoureux de Lisa, c'était l'occasion en or de se marrer avec lui. Comme il soupirait comme un neuneu en regardant Lisa, on en a profité pour aller lui demander pourquoi il irait pô lui parler, à Lisa.

Il a répondu : « Cha pas quoi lui dire », alors j'ai dit : « Ben, des compliments, ça marche sur les filles ! D'abord, dis-nous comment tu la trouves ? »

Ramon a répété « Une verroue ? » et j'ai expliqué que c'était une super jolie fleur. Alors il a couru dire son compliment à Lisa pendant qu'on l'espionnait, morts de rire. Au début, on a entendu qu'il lui disait qu'elle était belle et Lisa avait l'air toute contente. Après on entendait plus, on était trop loin.

Et puis tout à coup Lisa est devenue toute rouge de rage et elle est partie en plantant Ramon sur place. Avec Manu, on se pleurait de rire dessus en pensant à ce qu'il avait bien pu lui dire à Lisa. D'ailleurs, elle venait vers nous et on se disait que c'était sûrement pour nous raconter. En fait, pô du tout...

Ensuite, sans attendre que ma joue refroidisse, elle a fait demi-tour et elle a couru rejoindre Ramon, genre en lui prenant la main comme des amoureux. Bref, apparemment, à force de pas parler français, il avait pô du tout dit ce qu'on voulait...

12

Moi j'aime bien cracher dans l'eau, ça fait des cercles quand ça tombe et après y'a des bulles qui restent un petit moment à la surface et qui se promènent dans le courant. Ce que je trouve cool aussi, c'est que, dans l'eau, je peux cracher sans me faire punir. Enfin... NOR-MALEMENT, personne vient me crier dessus. Mais Manu, si.

Je lui ai demandé qui lui avait dit ces bêtises que c'est dégueu de cracher dans un ruisseau. Il a dit : « Personne, parce que tout le monde sait ça. »

S'il croyait m'avoir, il était tombé sur plus fort en sciences que lui ! Mais il a voulu me montrer tout ce qu'il savait sur les nuages. Et il m'a expliqué que le soleil faisait évaporer l'eau ET le crachat du ruisseau. Donc le crachat était dans les nuages.

C'était franchement un des trucs les plus crados que j'aie appris à propos de la Terre (ex æquo avec les prouts des vaches qui font des trous dans l'ozone). Et Manu et moi, on s'est mis à penser à tout ce qu'on pouvait recevoir d'autre sur la tête à chaque fois qu'il pleuvait...

J'ai chopé Hugo par le pull pour le tirer en arrière et l'empêcher de bousiller nos beaux nuages, mais Hugo comprenait pas qu'il allait s'évaporer. Il voulait finir de faire pipi et il me criait de le lâcher, sinon il me foutrait une baffe. Et je l'ai pô laché...

13

À la télé, ils ont expliqué que la sécheresse, c'est quand il y a tellement pas d'eau que les fruits et les légumes peuvent pô pousser. Et le soleil brûle fort l'herbe, alors les animaux peuvent pas manger. Du coup, ils meurent de faim. Les gens ont plus d'animaux à manger, et comme y'a pas non plus de légumes, ils meurent aussi de faim. Sans légumes, pas de soupe. Ni de Chocomiams, ni de Caramax. La soupe, je leur aurais bien envoyée aux Africains parce que, franchement, moi, non merci.

On voyait dans le reportage des images des gens tout maigres parce qu'ils ont rien mangé et on voyait des enfants. Tout maigres aussi.

Je regardais les pauvres enfants d'Afrique et puis mon assiette de soupe que je voulais pas manger juste parce que je préfère les pâtes. Je me disais que c'était pas chouette de ma part d'avoir pensé à mettre toute une assiette de soupe à la poubelle devant les Africains...

Et les parents m'aidaient pô du tout à me sentir mieux...

J'ai fini toute mon assiette de soupe, et comme le reportage était pô terminé, j'en ai pris une autre. Quand je suis arrivé à l'école, j'ai dit à Manu que je pensais beaucoup aux Africains et aussi un peu à mon ventre qui me faisait mal parce que j'avais trop mangé de soupe.

Quand la maîtresse a fini de nous présenter le nouveau qui venait d'Afrique, j'avais toujours mal au ventre (même un peu plus) et je me disais que Wubotu ressemblait vraiment pas aux Africains de la télé.

J'ai trouvé ça pô juste du tout.

14

Le truc cool quand on a un meilleur copain, c'est qu'on peut lui raconter toutes nos bonnes idées et lui, il nous refile les siennes. C'est ce qu'on fait avec Manu. C'est parce que c'est mon meilleur copain. Ce jour-là, j'avais une trop bonne idée de super classe olympique, et la première personne avec qui je voulais la partager, c'était évidemment Manu. Je me suis mis pile en face de lui. Il comprenait pas, mais je lui ai dit d'attendre pour que je me prépare. Alors j'ai bien reniflé un grand coup, et...

Manu s'est essuyé en criant que POUAH et que j'étais un dégueulasse et encore que j'étais un dégueulasse et un dégueulasse. Je lui ai expliqué que tout ça, c'était pour qu'il chope mon rhume parce qu'avec un rhume, on va pô au test de piscine. Là, il m'a trouvé plus du tout un dégueulasse.

J'ai pensé qu'Hugo, c'était le genre d'arnaque qu'il aimerait vachement aussi : un plan à la fois pour pas aller à l'école et à la fois dégueulasse.

Je suis hyper sûr qu'il aurait adoré cette idée d'éternuer mon rhume à sa tronche si elle était pas sortie en 3D...

Hugo, quand il aime une idée, ça se voit assez vite : il fait son rire de type qui prépare un sale coup.

Quand il aime pô une idée, c'est pareil : ça se voit assez vite. Et c'est aussi en 3D...

Table

Les as-tu tous lus ?

1- Même pô mal...

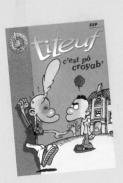

2- C'est pô croyab'

3- C'est pô une v

4- C'est pô malin...

5- Pourquoi moi ?

6- Les filles,
c'est nul ...

7- Tchô, la planète !

8- Le préau atomique

9- Ah ouais, d'accord...

10- Au secours !

11- Tcheu, la honte !

12- Tous des pourris du slip !

Retrouve titeuf en BD !

Nouveauté !

tomes parus

2 tomes parus

3 tomes parus

5 tomes parus

tomes parus

3 tomes parus

4 tomes parus

8 tomes parus

ne 3 à paraître

4 tomes parus

4 tomes parus

6 tomes parus

1 tome paru

1 tome paru

1 tome paru

1 tome paru

Un super merci à :

Jicé Camano
Fabrice Le Jean
Stanislas Zuin

« Pour l'éditeur, le principe est d'utiliser des papiers composés de fibres naturelles, renouvelables, recyclables et fabriquées à partir de bois issus de forêts qui adoptent un système d'aménagement durable. En outre, l'éditeur attend de ses fournisseurs de papier qu'ils s'inscrivent dans une démarche de certification environnementale reconnue. »

Imprimé en France par Jean-Lamour - Groupe Qualibris
Dépôt légal : octobre 2008
20.20.1096.5/01 – ISBN 978-2-01-201096-3
Loi n°49-956 du 16 juillet 1949
sur les publications destinées à la jeunesse